신과 질병

신과 질병

발   행 | 2023년 11월 22일
저   자 | 황 철
펴낸이 | 한건희
펴낸곳 | 주식회사 부크크
출판사등록 | 2014.07.15.(제2014-16호)
주   소 | 서울특별시 금천구 가산디지털1로 119 SK트윈타워 A동 305호
전   화 | 1670-8316
이메일 | info@bookk.co.kr

ISBN | 979-11-410-5441-0

신과 질병

황 철 지음

CONTENT

저자소개

질병의 근본 원인과 효과적인 치료 방법은 무엇일까요?

위의 두 가지 질문을 본격적으로 고민하게 된 것은 연변대학 의과대학에 입학한 후였습니다. 생리학, 병리학, 해부학, 각종 동물실험과 임상실습 등 다양한 기초이론과 최신의학을 배우면서 가장 답답했던 것은 질병의 근본 원인을 모른다는 것이었습니다. 질병에는 분명 근본 원인이 있겠는데 찾지 못하는 것은 중국 의학의 부족함에 있다고 생각되어 한국이나 미국으로 유학을 계획하였으나 실패하고 예수님을 믿게 되었습니다.

후에 동북신학원과 총신대학교 신학대학원에서 신학을 공부하면서 질병을 주관하시는 신이 계심을 알게 되었습니다. 신께서는 질병을 내리기도 하시고 거두기도 하시는 데 마음대로 하시는 것이 아니라 어느 때 질병을 내리시고 어느 때 질병을 거두시는지 그리고 어떤 질병을 내리시는지를 성경을 통하여 자세하게 우리에게 가르쳐주셨습니다.

우리는 아래의 세 가지 질문에 답하는 형식으로 효과적인 치료 방법과 질병의 근본 원인을 알아볼 수 있습니다.

첫째: 신은 어느 때 질병을 거두시나요?

둘째: 신은 어떤 질병을 내리시나요?

셋째: 신은 어느 때 질병을 내리시나요?

첫째: 신은 어느 때 질병을 거두시나요?

우리의 하나님 관계, 자기 관계, 타인 관계가 원활할 때 질병을 거두십니다. 이는 가장 효과적인 치료 방법입니다.

1. 하나님 관계 치료: 믿음과 안수, 경외와 섬김.

2. 자기 관계 치료: 안식과 기쁨.

3. 타인 관계 치료: 용서와 축복, 사랑과 돌봄.

둘째: 신은 어떤 질병을 내리시나요?

신명기 28장을 통하여 우리는 신께서 어떤 질병을 내리시는지 알 수 있습니다.

1. 폐병, 염증

2. 치질, 괴혈병

3. 미치는 것, 눈 머는 것, 정신병

4. 우리가 두려워하는 모든 질병

셋째: 신은 어느 때 질병을 내리시나요?

신은 우리의 하나님 관계, 자기 관계, 타인 관계에 문제가 발생할 때 질병을 내리십니다. 이는 질병의 근본 원인입니다.

1. 하나님 관계 진단: 불신과 단절, 거역과 악행.
2. 자기 관계 진단: 과로와 근심.
3. 타인 관계 진단: 미움과 저주, 시기와 탐욕.

아신대학교 일반대학원에서 목회상담학을 공부하면서 자유 진술, 심정 대화, 무조건 수용, 소통 치료, 이야기 치료 등 다양한 심리치료이론과 기법을 배우면서 특히 용서치료를 주제로 박사논문을 쓰면서 신의치료법을 고안하여 심리상담의 현장에서 적용하게 되었습니다.

더욱 많은 의사, 목회자, 상담사, 선교사, 내담자, 환우들이 신과 동역하여 질병을 치료하고 하나님께 영광을 돌리는 그날이 속히 오기를 기대합니다.

책 소개

본서는 신의치료법을 알려드리는 치료 서적입니다. 치료의 방법을 알려주는 마가복음 16장과 질병의 원인을 알려주는 신명기 28장을 100번 이상 읽고 토의하고 실천하는 내담자 중심 치료는 신의한수입니다. 그 원인은 크게 네 가지로 나누어 볼 수 있습니다.

첫째: 우리가 아무리 잘 가르쳐도 신보다 더 잘 가르칠 수는 없습니다.

둘째: 우리가 가르쳐서 되는 것이 아니라 내담자가 깨달아야 합니다.

셋째: 우리의 힘으로 되는 것이 아니라 신께서 역사하셔야 합니다.

넷째: 우리는 신께서 가르쳐주신 치료법을 그대로 따릅니다.

1단계: 신은 어느 때 질병을 거두시나요?

우리의 하나님 관계, 자기 관계, 타인 관계가 원활해질 때 질병을 거두십니다.

하나님과 원활한 관계는 믿음과 안수, 경외와 섬김입니다. 믿음과 안수란 예수님의 육신 부활을 믿고 자기 몸에 안수하는 것입니다. 경외와 섬김이란 참신을 경외하고 섬김으로 치료를 받는 것입니다.

자기와 원활한 관계는 안식과 기쁨입니다. 안식과 기쁨이란 일주일에 하루를 온전히 쉼으로 육신의 피로를 해소하고 항상 기뻐하므로 신의특효약을 복용하는 것입니다.

타인과 원활한 관계는 용서와 축복, 사랑과 돌봄입니다. 용서와 축복이란 마음속으로부터 형제를 용서함으로 신의 용서를 받으며 진심으로 사람들을 축복하므로 축복이 우리에게 흘러넘치는 것입니다. 사랑과 돌봄이란 예수님 안에서 서로 사랑하고 어려운 사람들을 돌봄으로 신속한 치료를 받는 것입니다.

2단계: 신은 어떤 질병을 내리시나요?

신께서 내리시는 질병의 종류는 신명기 28장에 상세하게 기록되어 있습니다.

1. 폐병, 염증

2. 치질, 괴혈병, 피부병

3. 미치는 것, 눈 머는 것, 정신병

4. 우리가 두려워하는 모든 질병으로 분류됩니다.

즉 우리가 앓고 있는 모든 질병은 신께서 내리셨다고 보시면 됩니다.

3단계: 신은 어느 때 질병을 내리시나요?

우리의 하나님 관계, 자기 관계, 타인 관계에 문제가 발생했을 때 질병을 내리십니다.

하나님 관계 문제는 불신과 단절, 거역과 악행입니다. 불신과 단절이란 하나님의 아들 예수님을 믿지 않으므로 하나님의 진노가 그 위에 항상 머물러 있고 생명의 근원에서 끊어져 치료할 길이 없는 것입니다. 거역과 악행이란 신의 계명을 거역하고 악을 행하므로 신께서 각종 질병의 징계를 내리시는 것입니다.

자기 관계 문제는 과로와 근심입니다. 과로와 근심이란 일주일에 하루도 쉬지 않고 과로함으로 인간기계를 망가뜨

리고 심령의 근심으로 몸을 병들게 하는 것입니다.

타인 관계 문제는 미움과 저주, 시기와 탐욕입니다. 미움과 저주란 사람들을 미워하고 저주하므로 자기를 죽이고 남을 죽이며 그 저주가 자기 몸에 들러붙는 것입니다. 시기와 탐욕이란 사람들을 질투하고 탐욕을 부림으로 죄와 사망을 낳는 것입니다.

1단계: 신은 어느 때 질병을 거두시나요?
(신의 치료법)

우리의 하나님 관계, 자기 관계, 타인 관계가 원활할 때 질병을 거두십니다.

1. 하나님 관계 치료: 믿음과 안수, 경외와 섬김.

2. 자기 관계 치료: 안식과 기쁨.

3. 타인 관계 치료: 용서와 축복, 사랑과 돌봄.

1. 하나님 관계 치료: 믿음과 안수, 경외와 섬김을 실천할 때 질병을 거두십니다.

   믿음에 관한 성경 구절을 읽어보겠습니다.
   * 마가복음 16:14 그 후에 열한 제자가 음식 먹을 때에 예수께서 그들에게 나타나사 그들의 믿음 없는 것과 마음이 완악한 것을 꾸짖으시니 이는 자기가 살아난 것을 본 자들의 말을 믿지 아니함일러라
   * 마가복음 16:15 또 이르시되 너희는 온 천하에 다니며 만민에게 복음을 전파하라
   * 마가복음 16:16 믿고 세례를 받는 사람은 구원을 얻을 것이요 믿지 않는 사람은 정죄를 받으리라

위의 말씀을 자세히 분석해보면 몇 가지 결론을 얻을 수 있습니다.

첫째: 예수님께서 육신으로 부활하셔서 음식을 먹는 열한 제자에게 나타나셨습니다.

둘째: 예수님께서 자신의 부활 소식을 믿지 않았던 제자들을 꾸짖으셨습니다.

셋째: 예수님께서 제자들에게 온 천하에 다니며 만민에게 부활의 복음을 전파하라고 명령하셨습니다.

넷째: 믿고 세례를 받는 사람은 구원받으나 믿지 않는 사람은 정죄를 받습니다.

즉 예수님께서 육신으로 부활하셨는데 이 기쁜 소식을 믿고 세례를 받는 사람은 구원받습니다. 어디에서 구원받는가 하면 마귀의 눌림에서 구원받고 각종 질병에서 구원받습니다.

안수에 관한 성경 구절을 읽어보겠습니다.

- 마가복음 16:17 믿는 자들에게는 이런 표적이 따르리니 곧 그들이 내 이름으로 귀신을 쫓아내며 새 방언을 말하며

- 마가복음 16:18 뱀을 집어올리며 무슨 독을 마실지라도 해를 받지 아니하며 병든 사람에게 손을 얹은즉 나으리라 하시더라

- 마가복음 16:19 주 예수께서 말씀을 마치신 후에 하늘로 올려지사 하나님 우편에 앉으시니라

- 마가복음 16:20 제자들이 나가 두루 전파할새 주께서 함께 역사하사 그 따르는 표적으로 말씀을 확실히 증언하시니라.

위의 말씀을 분석해보면 몇 가지 결론을 얻을 수 있습니다.

첫째: 예수님의 육신 부활을 믿는 사람들에게는 표적이 따릅니다. 처음 표적은 예수님의 이름으로 귀신을 쫓아내는 것이고 마지막 표적은 병든 자에게 손을 얹은즉 낫는 것입니다.

둘째: 예수님께서 하늘로 올려지사 하나님 우편에서 함께 역사하심으로 믿는 자들에게 표적이 따르게 하십니다.

즉 예수님의 육신 부활을 믿는 사람은 표적이 따릅니다. 첫 번째 표적은 예수님의 이름으로 각종 병마를 쫓아내는 것이고, 마지막 표적은 자체 안수함으로 각종 질병을 치료하는 것입니다. 믿는 자에게 표적이 따르는 원인은 예수님께서 하늘나라에서 동역하시기 때문입니다.

경외에 관한 성경 구절을 읽어보겠습니다.

- 잠언 3:7 스스로 지혜롭게 여기지 말지어다 여호와를 경외하며 악을 떠날지어다
- 잠언 3:8 이것이 네 몸에 양약이 되어 네 골수를 윤택하게 하리라

위의 말씀을 자세히 분석해보면 몇 가지 결론을 얻을 수 있습니다.

첫째: 스스로 지혜롭게 여기지 말아야 합니다.

둘째: 여호와를 경외하고 악을 떠나야 합니다.

셋째: 이것이 우리의 몸에 양약이 되어 골수를 윤택하게 합니다.

즉 여호와를 경외하고 악을 떠나는 것은 우리가 건강을 얻는 비결입니다.

섬김에 관한 성경 구절을 읽어보겠습니다.

- 출애굽기 23:25 네 하나님 여호와를 섬기라 그리하면 여호와가 너희의 양식과 물에 복을 내리고 너희 중에서 병을 제하리니
- 출애굽기 23:26 네 나라에 낙태하는 자가 없고 임신하지 못하는 자가 없을 것이라 내가 너의 날수를 채우리라

위의 말씀을 자세히 분석해보면 몇 가지 결론을 얻을 수 있습니다.

첫째: 우리는 여호와를 섬겨야 합니다.

둘째: 그리하면 우리의 양식과 물에 복을 내리십니다. 즉 음식이 복을 받습니다.

셋째: 우리 중에서 병을 제합니다. 즉 각종 질병이 치료됩니다.

넷째: 우리 중에 낙태하는 자가 없고, 임신하지 못하는 자가 없습니다. 즉 자녀의 축복을 받습니다.

다섯째: 우리의 날수를 채우십니다. 즉 건강하고 장수합니다.

2. 자기 관계 치료: 안식과 기쁨을 실천할 때 질병을 거두십니다.

안식에 관한 성경 구절을 읽어보겠습니다.

- 출애굽기 20:8 안식일을 기억하여 거룩하게 지키라
- 마태복음 11:29 나는 마음이 온유하고 겸손하니 나의 멍에를 메고 내게 배우라 그리하면 너희 마음이 쉼을 얻으리니

위의 말씀을 자세히 분석해보면 몇 가지 결론을 얻을 수 있습니다.

첫째: 우리는 안식일을 기억하여 거룩하게 지켜야 합니다.

둘째: 예수님은 마음이 온유하고 겸손합니다.

셋째: 우리는 예수님의 멍에를 메고 온유함과 겸손함을 배워야 합니다.

넷째: 그리하면 우리의 마음이 쉼을 얻습니다.

즉 육체의 피로는 안식일을 쉬므로 회복되고, 마음의 피로는 예수님의 온유함과 겸손함을 배움으로 회복됩니다. 과로가 모든 질병의 시작이라면 쉼은 모든 치료의 시작입니다.

기쁨에 관한 성경 구절을 읽어보겠습니다.

- 잠언 17:22 마음의 즐거움은 양약이라도 심령의 근심은 뼈를 마르게 하느니라
- 데살로니가전서 5:16 항상 기뻐하라
- 데살로니가전서 5:17 쉬지 말고 기도하라
- 데살로니가전서 5:18 범사에 감사하라 이것이 그리스도 예수 안에서 너희를 향하신 하나님의 뜻이니라

위의 말씀을 자세히 분석해보면 몇 가지 결론을 얻을 수 있습니다.

첫째: 마음의 즐거움은 양약입니다. 즉 기쁨은 신의 특효약입니다.

둘째: 심령의 근심은 뼈를 마르게 하는 독약입니다.

셋째: 항상 기뻐하고 쉬지 말고 기도하며 범사에 감사하라는 것이 신의 뜻입니다.

즉 우리가 신의 뜻대로 항상 기뻐하고 즐거워할 때 각종 질병은 우리의 몸과 마음에서 떠나게 됩니다.

3. 타인 관계 치료: 용서와 축복, 사랑과 돌봄을 실천할 때 질병을 거두십니다.

용서에 관한 성경 구절을 읽어보겠습니다.

* 마가복음 11:25 서서 기도할 때에 아무에게나 혐의가 있거든 용서하라 그리하여야 하늘에 계신 너희 아버지께서도 너희 허물을 사하여 주시리라 하시니라

* 마태복음 18:35 너희가 각각 마음으로부터 형제를 용서하지 아니하면 나의 하늘 아버지께서도 너희에게 이와 같이 하시리라

위의 말씀을 자세히 분석해보면 몇 가지 결론을 얻을 수 있습니다.

첫째: 아무에게나 혐의가 있으면 우리는 용서해야 합니다.

둘째: 우리가 용서하면 신께서도 우리의 허물을 용서해주십니다.

셋째: 우리가 마음으로 형제를 용서하지 않으면 신께서도 우리를 용서하지 않으십니다.

즉 우리가 마음속 깊은 곳으로부터 사람들의 허물을 용서할 때 신께서도 우리의 허물을 용서해주시고 치료해주십니다.

축복에 관한 성경 구절을 읽어보겠습니다.

- 누가복음 10:5 어느 집에 들어가든지 먼저 말하되 이 집이 평안할지어다 하라
- 누가복음 10:6 만일 평안을 받을 사람이 거기 있으면 너희의 평안이 그에게 머물 것이요 그렇지 않으면 너희에게로 돌아오리라

위의 말씀을 자세히 분석해보면 몇 가지 결론을 얻을 수 있습니다.

첫째: 우리는 어느 집에 들어가든지 평안을 빌어야 합니다.

둘째: 만일 그 집에 평안을 받을 사람이 있으면 우리가 함께 평안을 누리게 됩니다.

셋째: 만일 평안을 받을 사람이 없으면 평안은 우리에게 돌아옵니다.

즉 어느 집에 가든지 평안을 빌면 우리에게 평안이 보장됩니다. 마찬가지로 어디서든지 축복하면 우리에게 축복이 보장됩니다.

사랑에 관한 성경 구절을 읽어보겠습니다.

- 출애굽기 15:26 이르시되 너희가 너희 하나님 나 여호와의 말을 들어 순종하고 내가 보기에 의를 행하며 내 계명에 귀를 기울이며 내 모든 규례를 지키면 내가 애굽 사람에게 내린 모든 질병 중 하나도 너희에게 내리지 아니하리니 나는 너희를 치료하는 여호와임이라
- 갈라디아서 5:14 온 율법은 네 이웃 사랑하기를 네 자신 같이 하라 하신 한 말씀에서 이루어졌나니

위의 말씀을 자세히 분석해보면 몇 가지 결론을 얻을 수 있습니다.

첫째: 신은 우리를 치료하시는 여호와이십니다.

둘째: 신이 우리를 치료하시는 데는 조건이 있습니다. 신의 말을 들어 순종하고, 신이 보시기에 의를 행하며, 신의 계명에 귀를 기울이며, 신의 모든 규례를 지키는 것입니다.

셋째: 온 율법은 이웃 사랑하기를 내 몸과 같이 사랑하라는 한 말씀에서 이루어졌습니다.

즉 우리가 이웃을 내 몸과 같이 사랑할 때 신께서는 우리를 치료하시고 보호하십니다.

돌봄에 관한 성경 구절을 읽어보겠습니다.

- 이사야서 58:6 내가 기뻐하는 금식은 흉악의 결박을 풀어 주며 멍에의 줄을 끌러 주며 압제당하는 자를 자유하게 하며 모든 멍에를 꺾는 것이 아니겠느냐
- 이사야서 58:7 또 주린 자에게 네 양식을 나누어 주며 유리하는 빈민을 집에 들이며 헐벗은 자를 보면 입히며 또 네 골육을 피하여 스스로 숨지 아니하는 것이 아니겠느냐
- 이사야서 58:8 그리하면 네 빛이 새벽같이 비칠 것이며 네 치유가 급속할 것이며 네 공의가 네 앞에 행하고 여호와의 영광이 네 뒤에 호위하리니

위의 말씀을 자세히 분석해보면 몇 가지 결론을 얻을 수 있습니다.

첫째: 신께서 기뻐하시는 것은 사람들의 고통을 덜어주는 것입니다.

둘째: 우리는 주린 자에게 양식을 나누어 주어야 합니다.

셋째: 우리는 유리하는 빈민을 집에 들여야 합니다.

넷째: 우리는 헐벗은 자를 입혀야 합니다.

다섯째: 우리는 골육을 피하여 숨지 말아야 합니다.

여섯째: 그리하면 우리의 빛이 새벽같이 비치고 우리의 치유가 급속할 것입니다.

일곱째: 공의가 우리 앞에 행하고 여호와의 영광이 우리의 뒤를 호위합니다.

즉 우리가 사람들의 고통을 덜어주고, 사회약자를 도와주며, 골육을 보살핀다면 우리의 치유가 급속히 이루어질 것이고, 신의 영광이 우리를 호위할 것입니다.

4. 감사와 선포

1) 믿음과 안수, 경외와 섬김을 실천할 때 우리의 질병을 거두심을 깨닫게 하시니 감사합니다.

2) 안식과 기쁨을 실천할 때 우리의 질병을 거두심을 깨닫게 하시니 감사합니다.

3) 용서와 축복, 사랑과 돌봄을 실천할 때 우리의 질병을 거두심을 깨닫게 하시니 감사합니다.

2단계: 신은 어떤 질병을 내리시나요?

1. 폐병, 염증
2. 치질, 괴혈병, 피부병
3. 미치는 것, 눈 머는 것, 정신병
4. 우리가 두려워하는 모든 질병

1. 건강과 질병을 주관하시는 신이 계십니다.

성경 구절을 읽어보겠습니다.

• 신명기 32:39 이제는 나 곧 내가 그인 줄 알라 나 외에는 신이 없도다 나는 죽이기도 하며 살리기도 하며 상하게도 하며 낫게도 하나니 내 손에서 능히 빼앗을 자가 없도다

위의 말씀을 자세히 분석해보면 몇 가지 결론을 얻을 수 있습니다.

첫째: 여호와는 유일하신 신이요 여호와 외에는 신이 없습니다.

둘째: 여호와는 죽이기도 하시고 살리기도 하십니다.

셋째: 여호와는 상하게도 하시고 낫게도 하십니다.

넷째: 신의 손에서 능히 빼앗을 자가 없습니다.

즉 신께서 죽이시면 살릴 자가 없고 살리시면 죽일 자가 없으며, 상하게 하시면 불치병이 되고 낫게 하시면 불치병은 없습니다.

2. 순종의 축복과 거역의 징계란 무엇인가요?

성경 구절을 읽어보겠습니다.

- 신명기 28:1 네가 네 하나님여호와의 말씀을 삼가 듣고 내가 오늘 네게 명령하는 그의 모든 명령을 지켜 행하면 네 하나님여호와께서 너를 세계 모든 민족 위에 뛰어나게 하실 것이라

- 신명기 28:2 네가 네 하나님여호와의 말씀을 청종하면 이 모든 복이 네게 임하며 네게 이르리니

- 신명기 28:3 성읍에서도 복을 받고 들에서도 복을 받을 것이며

- 신명기 28:4 네 몸의 자녀와 네 토지의 소산과 네 짐승의 새끼와 소와 양의 새끼가 복을 받을 것이며

- 신명기 28:5 네 광주리와 떡 반죽 그릇이 복을 받을 것이며

- 신명기 28:6 네가 들어와도 복을 받고 나가도 복을 받을 것이니라

위의 말씀을 자세히 분석해보면 순종에는 무한한 축복이 따릅니다.

첫째: 우리로 모든 민족 위에 뛰어나게 하십니다.

둘째: 우리에게 모든 복이 임하고 이릅니다. 즉 복이 따라다닙니다.

셋째: 우리는 성읍에서도 복을 받고 들에서도 복을 받습니다. 즉 장소를 초월하여 어디서나 복을 받습니다.

넷째: 우리의 몸과 자녀와 재산이 복을 받습니다.

다섯째: 우리의 광주리와 떡 반죽 그릇이 복을 받습니다. 즉 음식이 복을 받습니다.

여섯째: 우리는 들어가도 복을 받고 나가도 복을 받습니다. 즉 시간을 초월하여 언제든지 복을 받습니다(박윤선, 1991).

성경 구절을 읽어보겠습니다.

- 신명기 28:15 네가 만일 네 하나님여호와의 말씀을 순종하지 아니하여 내가 오늘 네게 명령하는 그의 모든 명령과 규례를 지켜 행하지 아니하면 이 모든 저주가 네게 임하며 네게 이를 것이니

- 신명기 28:16 네가 성읍에서도 저주를 받으며 들에서도 저주를 받을 것이요

- 신명기 28:17 또 네 광주리와 떡 반죽 그릇이 저주를 받을 것이요

- 신명기 28:18 네 몸의 소생과 네 토지의 소산과 네 소와 양의 새끼가 저주를 받을 것이며

- 신명기 28:19 네가 들어와도 저주를 받고 나가도 저주를 받으리라

위의 말씀을 자세히 분석해보면 거역에는 무한한 징계가 따릅니다.

첫째: 우리에게 모든 저주가 임하고 이릅니다. 즉 저주가 따라다닙니다.

둘째: 우리는 성읍에서도 저주받고 들에서도 저주받습니다. 즉 장소를 초월하여 어디서나 저주받습니다.

셋째: 우리의 몸과 자녀, 재산이 저주받습니다.

넷째: 우리의 광주리와 떡 반죽 그릇이 저주받습니다. 즉 음식이 저주받습니다.

다섯째: 우리는 들어가도 저주받고 나가도 저주받습니다. 즉 시간을 초월하여 언제든지 저주를 받습니다(메튜 헨리, 2008).

3. 신은 폐병과 염증을 내리십니다.

성경 구절을 읽어보겠습니다.
- 신명기 28:20 네가 악을 행하여 그를 잊으므로 네 손으로 하는 모든 일에 여호와께서 저주와 혼란과 책망을 내리사 망하며 속히 파멸하게 하실 것이며
- 신명기 28:21 여호와께서 네 몸에 염병이 들게 하사 네가 들어가 차지할 땅에서 마침내 너를 멸하실 것이며
- 신명기 28:22 여호와께서 폐병과 열병과 염증과 학질과 한재와 풍재와 썩는 재앙으로 너를 치시리니 이 재앙들이 너를 따라서 너를 진멸하게 할 것이라

위의 말씀을 자세히 분석해보면 몇 가지 결론을 얻을 수 있습니다.

첫째: 우리가 악을 행할 때 신은 각종 징계를 내리십니다.

둘째: 우리에게 저주와 혼란과 책망을 내리십니다.

셋째: 우리의 몸에 염병이 들게 하십니다.

넷째: 우리에게 폐병과 염증, 한재와 풍재, 썩는 재앙을 내리십니다.

저는 폐병으로 고생했던 과거가 있습니다. 율법을 강조하는 교단에서 엄격한 율법주의자로 살아가다가 내적으로 구원의 확신이 없고 외적으로 채식만 하다가 영양실조로 폐결핵에 걸렸던 것입니다.

후에 정통교단으로 옮겨 은혜의 구원을 접하면서 내적으로 구원의 확신이 생기고 외적으로 육식도 병행하면서 폐병에서 완벽히 치료되었습니다.

저는 또한 오랫동안 비염으로 고생한 적이 있습니다. 알레르기 비염이라 특히 꽃가루가 날리는 시절이면 코가 막히고 답답하여 죽을 것만 같았습니다.

그러던 어느 날 금요 철야 기도회에서 큰 소리로 통성기도를 하다가 갑자기 코가 뻥 뚫리는 경험을 하였습니다. 그 후로 지금까지 코로 숨 쉬는 행복을 누리고 있습니다.

4. 신은 치질과 괴혈병, 피부병을 내리십니다.

성경 구절을 읽어보겠습니다.
- 신명기 28:27 여호와께서 애굽의 종기와 치질과 괴혈병과 피부병으로 너를 치시리니 네가 치유 받지 못할 것이며

위의 말씀을 자세히 분석해보면 몇 가지 결론을 얻을 수 있습니다.

첫째: 신은 우리에게 애굽의 종기를 내리십니다.

둘째: 신은 우리에게 치질을 내리십니다. 치질은 저도 경험했던 질병입니다.

셋째: 신은 우리에게 괴혈병을 내리십니다.

넷째: 신은 우리에게 피부병을 내리십니다. 치료가 안 되는 피부병으로 아토피를 생각해 볼 수 있습니다.

저는 어릴 적 치질로 고생하던 기억이 있습니다. 치질에는 말로 형용할 수 없는 괴로움이 따르는데 화장실만 가면 반 시간은 기본이고 한 시간씩 나오지 못할 때가 다반사입니다. 치질은 일반적으로 변비와 함께 오는데 항문이 찢어지는 쓰라림은 겪어보지 못한 사람의 이해를 초월합니다. 후에 예수님을 믿고 완치되는 기쁨을 누렸습니다.

5. 신은 미치는 것, 눈 머는 것, 정신병을 내리십니다.

성경 구절을 읽어보겠습니다.
- 신명기 28:28 여호와께서 또 너를 미치는 것과 눈 머는 것과 정신병으로 치시리니

위의 말씀을 자세히 분석해보면 몇 가지 결론을 얻을 수 있습니다.

첫째: 신은 우리에게 미치는 것을 내리십니다. 미치는 것에는 각종 분노 장애, 불안장애, 우울증, 공포증, 불면증을 생각해 볼 수 있습니다.

둘째: 신은 우리에게 눈 머는 것을 내리십니다. 눈 머는 것에는 백내장, 녹내장, 다양한 시각장애를 생각해 볼 수 있습니다.

셋째: 신은 우리에게 정신병을 내리십니다. 정신병에는 환시, 환청, 조울증, 조현병을 생각해볼 수 있습니다.

6. 신은 우리가 두려워하는 모든 질병을 내리십니다.

성경 구절을 읽어보겠습니다.

- 신명기 28:59 여호와께서 네 재앙과 네 자손의 재앙을 극렬하게 하시리니 그 재앙이 크고 오래고 그 질병이 중하고 오랠 것이라
- 신명기 28:60 여호와께서 네가 두려워하던 애굽의 모든 질병을 네게로 가져다가 네 몸에 들어붙게 하실 것이며

위의 말씀을 자세히 분석해보면 몇 가지 결론을 얻을 수 있습니다.

첫째: 거역할 때 신은 우리와 우리의 자손에게 격렬한 재앙을 내리십니다.

둘째: 신은 중하고 오랜 질병을 내리십니다.

셋째: 신은 우리가 두려워하는 모든 질병을 우리의 몸에 들러붙게 하십니다.

우리가 두려워하는 모든 질병에는 암, 치매, 중풍을 생각해 볼 수 있습니다.

7. 감사와 선포

  1) 신께서 폐병, 염증을 내리심을 깨닫게 하시니 감사합니다.

  2) 신께서 치질, 괴혈병, 피부병을 내리심을 깨닫게 하시니 감사합니다.

  3) 신께서 미치는 것, 눈 머는 것, 정신병을 내리심을 깨닫게 하시니 감사합니다.

  4) 신께서 우리가 두려워하는 모든 질병을 내리심을 깨닫게 하시니 감사합니다.

3단계: 신은 어느 때 질병을 내리시나요?

(병의뿌리진단법)

    신은 우리의 하나님 관계, 자기 관계, 타인 관계에 문제가 발생할 때 질병을 내리십니다.

    1. 하나님 관계 진단: 불신과 단절, 거역과 악행.

    2. 자기 관계 진단: 과로와 근심.

    3. 타인 관계 진단: 미움과 저주, 시기와 탐욕.

1. 하나님 관계 진단: 불신과 단절, 거역과 악행을 할 때 질병을 내리십니다.

불신에 관한 성경 구절을 읽어보겠습니다.

- 요한복음 3:36 아들을 믿는 자에게는 영생이 있고 아들에게 순종하지 아니하는 자는 영생을 보지 못하고 도리어 하나님의 진노가 그 위에 머물러 있느니라

위의 말씀을 자세히 분석해보면 몇 가지 결론을 얻을 수 있습니다.

첫째: 아들을 믿는 자에게는 영생이 있습니다.

둘째: 아들에게 순종하지 아니하는 자는 하나님의 진노가 그 위에 머물러 있습니다.

여기서 아들은 신의 아들 예수님을 가리킵니다. 그러니 예수님을 믿는 사람에게는 영생의 축복이 있고, 믿지 않는 사람에게는 하나님의 진노가 그 위에 머물러 있습니다.

단절에 관한 성경 구절을 읽어보겠습니다.

- 요한복음 15:5 나는 포도나무요 너희는 가지라 그가 내 안에, 내가 그 안에 거하면 사람이 열매를 많이 맺나니 나를 떠나서는 너희가 아무것도 할 수 없음이라

위의 말씀을 자세히 분석해보면 몇 가지 결론을 얻을 수 있습니다.

첫째: 예수님은 포도나무입니다.

둘째: 우리는 가지입니다.

셋째: 예수님 안에 거하면 우리는 열매를 많이 맺습니다.

넷째: 예수님을 떠나면 우리는 말라 죽습니다.

즉 예수님을 떠나면 우리는 나무에서 끊어진 가지가 되어 치료할 길이 없어집니다.

거역과 악행에 관한 성경 구절을 읽어보겠습니다.

- 신명기 28:20 네가 악을 행하여 그를 잊으므로 네 손으로 하는 모든 일에 여호와께서 저주와 혼란과 책망을 내리사 망하며 속히 파멸하게 하실 것이며

위의 말씀을 자세히 분석해보면 몇 가지 결론을 얻을 수 있습니다.

첫째: 악을 행하여 신을 잊으면 우리 손으로 하는 모든 일에 저주와 혼란과 책망이 내려집니다.

둘째: 우리는 속히 파멸하게 됩니다.

만약 우리에게 저주와 혼란과 책망이 따른다면 혹시 신을 잊고 악을 행하는지 자세히 살펴봐야 할 것입니다.

2. 자기 관계 진단: 과로하고 근심할 때 질병을 내리십니다.

과로에 관한 성경 구절을 읽어보겠습니다.
- 출애굽기 20:9 엿새 동안은 힘써 네 모든 일을 행할 것이나
- 출애굽기 20:10 일곱째 날은 네 하나님 여호와의 안식일인즉 너나 네 아들이나 네 딸이나 네 남종이나 네 여종이나 네 가축이나 네 문안에 머무는 객이라도 아무 일도 하지 말라

위의 말씀을 자세히 분석해보면 몇 가지 결론을 얻을 수 있습니다.
첫째: 엿새 동안 힘써 자기 일을 행해야 합니다.
둘째: 일곱째 날은 하나님의 안식일입니다.
셋째: 안식일에는 본인이나 가족 모두가 아무 일도 하지 말고 쉬어야 합니다.
즉 우리의 몸은 일곱째 날에 엿새 동안의 피로를 풀도록 만들어졌습니다.

한번은 당뇨병을 앓는 내담자를 상담한 적이 있습니다. 가족 중에 당뇨병을 앓는 사람이 있는지 물으니 자신의 어머니와 남편이 당뇨병으로 같은 약을 먹고 있다고 알려주었습니다.

어머니의 당뇨병은 유전으로 이해가 되지만 남편은 유전과는 거리가 멀어 혹시 과로의 역사를 물어보았습니다.

그러자 가족 전체가 십 년 동안 하루도 쉬지 않고 식당 운영을 바쁘게 하던 과거를 알려주었습니다.

자동차도 쉬지 않고 운행하면 망가지는데 사람이야 얼마나 더하겠습니까? 일주일에 하루도 쉬지 않는 대가는 몸과 마음이 무너지는 것임을 명심해야 할 것입니다.

근심에 관한 성경 구절을 읽어보겠습니다.

- 잠언 17:22 마음의 즐거움은 양약이라도 심령의 근심은
뼈를 마르게 하느니라

위의 말씀을 자세히 분석해보면 몇 가지 결론을 얻을
수 있습니다.

첫째: 마음의 즐거움은 양약입니다.

둘째: 심령의 근심은 뼈를 마르게 합니다.

즉 우리의 마음이 즐거울 때는 치료의 호르몬을 분비하
여 몸과 마음을 치료하나 근심과 걱정으로 가득할 때는 독
소를 분비합니다. 뼈까지 마르게 하는 독성이라면 오장육부
는 더 말할 것도 없을 것입니다.

3. 타인 관계 진단: 미움과 저주, 시기와 탐욕을 할 때 질병을 내리십니다.

미움에 관한 성경 구절을 읽어보겠습니다.
* 요한1서 3:15 그 형제를 미워하는 자마다 살인하는 자니 살인하는 자마다 영생이 그 속에 거하지 아니하는 것을 너희가 아는 바라

위의 말씀을 자세히 분석해보면 두 가지 결론을 얻을 수 있습니다.

첫째: 미워하는 자는 살인하는 자입니다.

둘째: 살인하는 자는 영생이 그 속에 있지 않습니다.

즉 미움에는 살기가 내포되어 건강한 세포를 죽이고 질병을 일으킵니다. 미움이 자신을 향하면 자살을 일으키고 남을 향하게 되면 살인을 일으키게 됩니다.

미움의 본질은 자신을 미워하는 것으로 자신을 미워하지 않고 남을 미워할 수 없습니다.

저주에 관한 성경 구절을 읽어보겠습니다.

- 시편 109:17 그가 저주하기를 좋아하더니 그것이 자기에게 임하고 축복하기를 기뻐하지 아니하더니 복이 그를 멀리 떠났으며
- 시편 109:18 또 저주하기를 옷 입듯 하더니 저주가 물 같이 그의 몸속으로 들어가며 기름 같이 그의 뼈 속으로 들어갔나이다.

위의 말씀을 자세히 분석해보면 몇 가지 결론을 얻을 수 있습니다.

첫째: 저주하기를 좋아하면 저주가 우리에게 임합니다.

둘째: 축복하기를 기뻐하지 아니하면 축복이 우리를 멀리 떠납니다.

셋째: 저주하기를 옷 입듯 하면 저주가 물같이 우리의 몸에 들어오고 기름 같이 우리의 뼛속으로 들어옵니다.

즉 축복하는 자에게는 축복이 따르나 저주하는 자에게는 저주가 따릅니다. 저는 축복을 잘하지 못했습니다. 특히 자신을 축복하지 못했고 권위자를 축복하지 못했습니다. 이제부터는 자신을 축복하고 가족과 모든 사람을 축복하므로 제게 축복의 잔이 흘러넘치도록 하겠습니다.

시기에 관한 성경 구절을 읽어보겠습니다.

- 잠언 14:30 평온한 마음은 육신의 생명이나 시기는 뼈를 썩게 하느니라

첫째: 평온한 마음은 육신의 생명입니다.
둘째: 시기는 뼈를 썩게 합니다.
즉 우리의 마음이 평온할 때 몸에서는 치료의 호르몬을 방출하지만, 시기하고 질투할 때면 독소를 방출합니다.

탐욕에 관한 성경 구절을 읽어보겠습니다.

- 야고보서 1:15 욕심이 잉태한즉 죄를 낳고 죄가 장성한즉 사망을 낳느니라
- 로마서 6:23 죄의 삯은 사망이요 하나님의 은사는 그리스도 예수 우리 주 안에 있는 영생이니라

위의 말씀을 자세히 분석해보면 몇 가지 결론을 얻을 수 있습니다.
첫째: 욕심이 잉태한즉 죄를 낳습니다.
둘째: 죄가 장성한즉 사망을 낳습니다.
셋째: 죄의 삯은 사망입니다.
넷째: 신의 은사는 예수님 안에 있는 영생입니다.

즉 과도한 사욕이 넘치면 죄를 낳고 죄가 넘치면 병들
어 죽게 됩니다.

4. 감사와 선포

1) 불신과 단절, 거역과 악행을 할 때 우리에게 질병을
   내리심을 깨닫게 하시니 감사합니다.

2) 과로하고 근심할 때 우리에게 질병을 내리심을 깨닫게
   하시니 감사합니다.

3) 미움과 저주, 시기와 탐욕할 때 우리에게 질병을 내리
   심을 깨닫게 하시니 감사합니다.

4단계: 자주 하는 질문

1. 질병은 본인의 죄 때문인가요? 부모의 죄 때문인가요?
2. 신은 왜 우리를 징계하시나요?
3. 신은 어떤 분이신가요?
4. 우리의 질병은 혹시 욥의 고난인가요?
5. 우리의 질병은 혹시 바울의 가시인가요?

1. 질병은 본인의 죄 때문인가요? 부모의 죄 때문인가요?

성경 구절을 읽어보겠습니다.
- 창세기 3:19 네가 흙으로 돌아갈 때까지 얼굴에 땀을 흘려야 먹을 것을 먹으리니 네가 그것에서 취함을 입었음이라 너는 흙이니 흙으로 돌아갈 것이니라
- 요한복음 9:3 예수께서 대답하시되 이 사람이나 그 부모의 죄로 인한 것이 아니라 그에게서 하나님이 하시는 일을 나타내고자 하심이라

위의 말씀을 자세히 분석해보면 몇 가지 결론을 얻을 수 있습니다.

첫째: 아담은 흙이니 흙으로 돌아가야 합니다.

둘째: 병에 걸린 것은 그 사람이나 부모의 죄로 인한 것이 아니라 하나님께서 하시는 일을 나타내기 위함입니다.

즉 아담 범죄 이후로 그 누가 병에 걸려도 이상하지 않습니다. 질병에서 누구의 죄를 따지기보다 신의 치료에 초점을 맞춰야 합니다.

2. 신은 왜 우리를 징계하시나요?

성경 구절을 읽어보겠습니다.

- 신명기 8:5 너는 사람이 그 아들을 징계함 같이 네 하나님 여호와께서 너를 징계하시는 줄 마음에 생각하고
- 히브리서 12:11 무릇 징계가 당시에는 즐거워 보이지 않고 슬퍼 보이나 후에 그로 말미암아 연단 받은 자들은 의와 평강의 열매를 맺느니라
- 히브리서 12:12 그러므로 피곤한 손과 연약한 무릎을 일으켜 세우고

위의 말씀을 자세히 분석해보면 몇 가지 결론을 얻을 수 있습니다.

첫째: 아버지가 아들을 징계하심 같이 신께서 우리를 징계하십니다.

둘째: 징계가 당시에는 즐거워 보이지 않고 슬퍼 보입니다.

셋째: 연단 받은 자들은 의와 평강의 열매를 맺습니다.

넷째: 그러므로 피곤한 손과 연약한 무릎을 일으켜 세워야 합니다.

3. 신은 어떠한 분이신가요?

성경 구절을 읽어보겠습니다.

- 출애굽기 34:6 여호와께서 그의 앞으로 지나시며 선포하시되 여호와라 여호와라 자비롭고 은혜롭고 노하기를 더디하고 인자와 진실이 많은 하나님이라
- 출애굽기 34:7 인자를 천대까지 베풀며 악과 과실과 죄를 용서하리라 그러나 벌을 면제하지는 아니하고 아버지의 악행을 자손 삼사 대까지 보응하리라

위의 말씀을 자세히 분석해보면 몇 가지 결론을 얻을 수 있습니다.

첫째: 신은 자비롭고 은혜로우신 분이십니다.

둘째: 노하기를 더디하시고 인자와 진실이 많으신 분이십니다.

셋째: 인자를 천대까지 베푸십니다.

넷째: 악과 과실, 죄를 용서하십니다.

다섯째: 벌은 면제하지 않으십니다.

여섯째: 아버지의 악행을 자손 삼사 대까지 보응하십니다.

4. 우리의 질병은 혹시 욥의 고난인가요?

성경 구절을 읽어보겠습니다.

- 욥기 1:1 우스 땅에 욥이라 불리는 사람이 있었는데 그 사람은 온전하고 정직하여 하나님을 경외하며 악에서 떠난 자더라
- 욥기 42:7 여호와께서 욥에게 이 말씀을 하신 후에 여호와께서 데만사람 엘리바스에게 이르시되 내가 너와 네 두 친구에게 노하나니 이는 너희가 나를 가리켜 말한 것이 내 종 욥의 말 같이 옳지 못함이니라

위의 말씀을 자세히 살펴보면 몇 가지 결론을 얻을 수 있습니다.

첫째: 욥은 온전히 정직하고 신을 경외하며 악에서 떠난 사람입니다.

둘째: 욥의 세 친구는 욥의 고난을 죄와 직결시켰습니다.

셋째: 욥의 고난은 의인의 연단이나 신의 주권과 연관되는 것입니다.

위의 말씀을 참조하여 볼 때 모든 질병을 죄와 직결시킬 수는 없습니다.

5. 우리의 질병은 혹시 바울의 가시인가요?

성경 구절을 읽어보겠습니다.

- 고린도후서 12:7 여러 계시를 받은 것이 지극히 크므로 너무 자만하지 않게 하시려고 내 육체에 가시 곧 사탄의 사자를 주셨으니 이는 나를 쳐서 너무 자만하지 않게 하려 하심이라

위의 말씀을 자세히 살펴보면 몇 가지 결론을 얻을 수 있습니다.

첫째: 신은 바울의 육체에 가시를 주셨습니다.

둘째: 가시의 원인은 계시받은 것이 지극히 커서 자만하지 않게 하려는 목적입니다.

셋째: 바울의 가시인 사탄의 사자가 바울을 쳐서 너무 교만하지 않게 하십니다.

위의 말씀을 참조하여 볼 때 우리에게 바울의 가시를 줄 필요는 거의 없습니다.

6. 감사와 선포

1) 질병의 원인보다 치료하여 신께 영광 돌리는 데 초점을 맞춰야 함을 깨닫게 하시니 감사합니다.

2) 신께서 자녀처럼 우리를 징계하심은 영원한 축복 때문임을 깨닫게 하시니 감사합니다.

3) 신은 자비롭고 은혜로우며 노하기를 더디하시는 분이심을 깨닫게 하시니 감사합니다.

4) 우리의 질병은 욥의 고난이나 바울의 가시일 수도 있음을 깨닫게 하시니 감사합니다.

참 고 문 헌

박윤선 (1991). *성경주석: 레위기, 민수기, 신명기.* 서울: 영음사.

Henry, Matthew. (2008). *메튜헨리주석:민수기, 신명기.* 원광연 역, 서울: CH북스.

개역개정성경. (1998). 서울: (재) 대한성서공회.

https://www.bskorea.or.kr/bible/korbibReadpage.php